这是我的书 It's MY BOOK 6级：300字

纸巾上的话

作者：程以克（Vicki Cheng）
插图：陶红亮（Hongliang Tao）

U1002974

北京语言大学出版社
BEIJING LANGUAGE AND CULTURE UNIVERSITY PRESS

PHOENIX TREE
PHOENIX TREE PUBLISHING INC.

识　读 饭菜　好吃　心　可能　重

句　型 ……有没有……？

字　数 312 字

zài xué xiào li měi tiān yí dào chī wǔ fàn de shí
在学校里，每天一到吃午饭的时

hou ài mǎ jiù shí fēn gāo xìng yīn wèi tā jiù yào
候，艾玛就十分高兴，因为她就要

kàn dào zhǐ jīn shang de huà le nà shì qīn ài de
看到纸巾上的话了，那是亲爱的

bà ba xiě gěi tā de
爸爸写给她的。

cóng ài mǎ wǔ suì qǐ jiù shì bà ba měi tiān zǎo
从艾玛五岁起，就是爸爸每天早
shang qǐ lai gěi tā zhǔn bèi wǔ fàn fàn cài hěn hǎo
上起来给她准备午饭。饭菜很好
chī kě shì ài mǎ gèng xǐ huan de hái shi bà ba
吃，可是艾玛更喜欢的还是爸爸
fàng zài wǔ fàn bāo li de zhǐ jīn
放在午饭包里的纸巾。

bà ba měi tiān dōu huì zài zhǐ jīn shang xiě xia bù tóng de
爸爸每天都会在纸巾上写下不同的
huà bǐ rú yào shi nà bian de qīng cǎo kàn shang qu
话。比如："要是那边的青草看上去
gèng lǜ bú yào dīng zhe kàn bú yào bǐ le yǐ hòu bù
更绿，不要盯着看，不要比了以后不
gāo xìng kuài gěi nǐ jiǎo xià de cǎo dì jiāo shuǐ ba
高兴，快给你脚下的草地浇水吧！"

zuò zì jǐ xǐ huan de shì qing xiàn zài jiù kāi
“做自己喜欢的事情，现在就开

shǐ guò wán le yì tiān hòu xiǎng yi xiǎng nǐ
始！”“过完了一天后，想一想：你

yǒu méi yǒu gǎi biàn
有没有改变？”

ài mǎ bàn zhe zhǐ jīn shang de huà yì tiān tiān de zhǎng
艾玛伴着纸巾上的话一天天地长
dà zhè shì ài mǎ hé bà ba xīn hé xīn de jiāo
大，这是艾玛和爸爸心和心的交
liú kě shì ài mǎ shí èr suì shí bà ba shēng
流。可是，艾玛十二岁时，爸爸生
bìng le
病了。

bà ba de bìng hěn zhòng yī shēng shuō bà ba kě néng
爸爸的病很重，医生说，爸爸可能
kàn bu dào ài mǎ zhǎng dà le dàn bà ba hái shi
看不到艾玛长大了。但爸爸还是
tiān tiān zài zhǐ jīn shang gěi ài mǎ xiě xia tā xiǎng shuō
天天在纸巾上给艾玛写下他想说
de huà xiě le hěn duō hěn duō
的话，写了很多很多……

ài mǎ zuì xǐ huan de yí jù huà shì qīn ài de
艾玛最喜欢的一句话是：“亲爱的

ài mǎ yào shi yǒu rén rèn wéi zhǐ yǒu yáng guāng cái
艾玛：要是有人认为，只有阳光才

néng dài lai kuài lè nà tā yí dìng méi yǒu zài yǔ tiān
能带来快乐，那他一定没有在雨天

li tiào guo wǔ ài nǐ de bà ba
里跳过舞。爱你的爸爸”

1 在学校里，每天一到吃午饭的时候，艾玛就十分高兴，因为她就要看到纸巾上的话了，那是亲爱的爸爸写给她的。

2 从艾玛五岁起，就是爸爸每天早上起来给她准备午饭。饭菜很好吃，可是艾玛更喜欢的还是爸爸放在午饭包里的纸巾。

3 爸爸每天都会在纸巾上写下不同的话。比如："要是那边的青草看上去更绿，不要盯着看，不要比了以后不高兴，快给你脚下的草地浇水吧！"

4 "做自己喜欢的事情，现在就开始！""过完了一天后，想一想：你有没有改变？"

5 艾玛伴着纸巾上的话一天天地长大，这是艾玛和爸爸心和心的交流。可是，艾玛十二岁时，爸爸生病了。

6 爸爸的病很重，医生说，爸爸可能看不到艾玛长大了。但爸爸还是天天在纸巾上给艾玛写下他想说的话，写了很多很多……

7 艾玛最喜欢的一句话是："亲爱的艾玛：要是有人认为，只有阳光才能带来快乐，那他一定没有在雨天里跳过舞。爱你的爸爸"

1

2

3

4

5

6

看图讲故事

7